社会科学の 基本理論

▶大学教養講義ノート◀

黒沢賢一
Kenichi Kurosawa

学術研究出版

■ はじめに ■

　科学は社会科学、人文科学、自然科学に分類されるが、このうち社会科学は、法学、政治学、行政学、財政学、経済学などの総称で、社会の真理の探究を目的とする学問である。

　本書は大学での担当科目である「社会科学の基礎」の講義録として作成したもので、ここに書かれている知識は、本来は板書し、あるいはパワーポイントで映し出すなどして説明すべき事項だが、それを1冊のテキストにまとめることで、専門用語や重要知識の説明、解説を聞くことに集中し、このテキストにそれを書き加えて、オリジナルノートを完成できるようにした。

　大学では前期は法学、政治学、行政学を、後期は社会政策、財政学、経済学を講義するが、社会科学と呼ばれる専門科目を1冊に集約することで、その全体像を把握できるようにした。

　またここで紹介している知識は、それぞれの科目をより専門的に研究していく前提として習得しておくべき基礎理論であり、まずはこれらの知識を身につけ、そのあとで、それぞれが関心を持った分野の研究を深めていくためのプロローグとしていただければと願う。

　さらに本書で取り上げている用語などは大卒レベルの警察官、消防官、中小市町村職員採用試験や民間企業の就職試験に利用されているSPI、SCOAなどで出題される内容でもあり、このテキストを利用して学ぶことはこれらの試験対策にも役立つはずである。

　本書を利用して、社会科学の基礎的知識を身につけ、その後の研究への、またそれぞれがめざす試験に合格するためのファーストステップにしていただきたい。

黒沢　賢一

《本書の特徴》

1. 本書では、各テーマの押さえておくべき基礎理論を簡潔にまとめている。一本の木にたとえれば、本書に書かれているのは幹や枝であり、ここに葉ともいうべき細かな知識を書き加えていくことで、それぞれのオリジナルノートが完成する。

2. 各講の最後には学んだ知識をさらに深く探求していくためのIssueページを設けた。興味を持ったテーマや授業で指示された課題についてより深く調べ、それぞれの考えや意見をここにまとめることができる。

■ 目 次 ■

Chapter I

法学

第1講
法の分類

1. 法の分類

(1) 成文法と不文法

- 成文法 … 文章化されている法
- 不文法 … 文章化されていない法

(2) 成文法中心主義

成文法を重視する立場 … ヨーロッパ大陸の法体系

⇔ 英米法の法体系 … 不文法を重視する

2. 法の種類

(1) 公法と私法

- 公法 … 国家の内部、国家と国家の関係、国家と私人の関係を規律する法
- 私法 … 私人と私人の関係を規律する法

(2) 刑事法と民事法

- 刑事法 … 国家が私人に対して刑罰権を発動していく法
- 民事法 … 私人と私人の関係をルール化した法

(3) 実体法と手続法

- 実体法 … 内容を定める法
- 手続法 … 実体法の内容を実現する手続きを定める法

(4) 一般法と特別法

- 一般法 … 適用領域が限定されていない法
- 特別法 … 適用領域が限定されている法
  - ➡ 特別法が一般法に優先して適用される

3. 法の解釈

法律にある条文をどのように解釈していくかという問題

(1) 文理解釈

条文の意味をそのまま文字や字句にしたがって解釈すること

(2) 論理解釈

法の目的などを考慮しながら行う解釈

- 縮小解釈 … 文言の意味を狭く解釈する
- 拡張解釈 … 文言の意味を広く解釈する
- 類推解釈 … 適用できる条文がない場合、それと類似する他の条文を間接的に適用する

ISSUE

第2講
法の支配と法治主義

1. 理論の背景

絶対君主による専横的な権力の行使 [絶対王政時代]
　➡　国家権力が人権を侵害

エドワード・クックが国王に進言
　「国王といえども神と法の下にある」
　（13世紀、イギリスの法学者、ブラクトンの言葉）

2. 法の支配と法治主義の理論

(1) 法の支配
　権力を法に服させることで国民の権利を守ろうとする原理
　「悪法は法にあらず」… 法の実質的内容を重視
　イギリスで17世紀中頃までに確立

(2) 法治主義
　権力の行使は、法律にもとづかなければならないとする原理
　「悪法も法なり」… 法の形式性を重視
　ドイツで確立し、19世紀頃から展開

ISSUE

年　　　　月　　　　日

第3講
日本国憲法

1. 憲法とは

国民の権利や国の政治の仕組みを定めた国の最高法規

(1) 立憲主義
個人の権利と自由を守るために憲法で権力を拘束すること

(2) 憲法の種類
- 不文憲法と成文憲法
  不文憲法 … 法典形式をとらない憲法
  成文憲法 … 法典として条文化された憲法

- 欽定憲法と民定憲法
  欽定憲法 … 君主が制定主体の憲法
  民定憲法 … 国民が主権者として制定した憲法

- 軟性憲法と硬性憲法
  軟性憲法 … 通常の法律と同じ手続きで改正できる憲法
  硬性憲法 … 通常の法律より厳格な改正手続きが必要な憲法

2. 日本国憲法の成立過程

第二次世界大戦(太平洋戦争)で無条件降伏

GHQ(連合国総司令部)が憲法改正を命令

日本政府起草案をGHQが拒否し、民生局がマッカーサー草案を提示

大日本帝国憲法(明治憲法)の改正手続きにしたがって改正

1946（昭和21）年11月3日公布、1947（昭和22）年5月3日施行

3．日本国憲法の基本原理（三大原則）

　(1)国民主権

　　　国の政治のあり方を最終的に決める力は国民にある

　(2)基本的人権の保障

　　　人が生まれながらにして持つ自由や平等を永久不可侵の権利として保障

　(3)平和主義

　　　戦争を放棄し、国際紛争を解決する手段として武力による威嚇、行使を否定
　　　し、戦力の不保持と交戦権の否認を宣言
　　　➡　世界に類を見ない徹底した平和主義

4．日本国憲法の特徴

　大日本帝国憲法（明治憲法）との比較考察

　(1)天皇

　　　象徴天皇制　天皇は日本国および日本国民統合の象徴
　　　⇕
　　　天皇主権　統治権の総攬者

　(2)立法

　　　国会　国権の最高機関で唯一の立法機関
　　　⇕
　　　帝国議会　天皇の立法権への協賛機関

　(3)行政

　　　行政権の主体は内閣
　　　⇕
　　　内閣の規定なし　国務大臣は天皇の行政権の輔弼機関

⑷ 司法

司法権の独立を保障　違憲立法審査権を行使できる

天皇の名による裁判　違憲立法審査権をもたない

⑸ 地方自治

地方自治を規定し、地方自治の本旨を尊重

地方自治の規定なし

⑹ 国民の義務

教育を受けさせる義務

勤労の義務

納税の義務

⇕

納税の義務

兵役の義務

ISSUE

年　　　　月　　　　日

第4講
基本的人権

日本国憲法　人権を自然権として保障

1. 人権思想の発展

　　18C 自由権・平等権

　　19C 参政権

　　20C 社会権

　　新しい人権

2. 自由権

　国家の干渉を排除することで確保される権利
　精神の自由、人身の自由、経済の自由に分類できる

　(1) 精神の自由
　　　思想・良心の自由、信教の自由、集会・結社・表現の自由、学問の自由

　(2) 人身の自由
　　　奴隷的拘束・苦役からの自由、法定手続きの保障、住居の不可侵
　　　罪刑法定主義、刑罰法規不遡及の原則、不利益な供述の強要禁止

　(3) 経済の自由
　　　居住・移転・職業選択の自由、財産権の不可侵

3．平等権

(1) 法の下の平等
人種、信条、性別、社会的身分、門地による差別の禁止

(2) 両性の本質的平等

4．参政権

国民が政治の意思決定に参加する権利

- 公務員の選定・罷免権
- 最高裁判所裁判官の国民審査
- 地方特別法の住民投票
- 憲法改正の国民投票

5．社会権

国家による積極的な関与によって保障される権利

(1) 生存権
健康で文化的な最低限度の生活を営む権利（憲法25条）

(2) 教育を受ける権利

(3) 労働基本権
勤労権
労働三権…団結権、団体交渉権、団体行動権（争議権）

6. 請求権（受益権）

個人が人権侵害を受けた場合、国や地方公共団体にその救済を求めていく権利

- 請願権
- 国家賠償請求権
- 裁判を受ける権利
- 刑事補償請求権

7. 新しい人権

憲法に規定はないが、社会が変化する中で保障が必要になってきた権利

- 環境権
- プライバシーの権利
- 知る権利

ISSUE

Chapter II

政治学・行政学

第5講
国家論

1．国家の三要素

「国家が成立するには、国民、領域、主権が必要である」
イェリネックによる定義

領域 … 領土、領海（12海里）、領空（大気圏まで）
- 大気圏外 … どの国の主権も及ばない
- 排他的経済水域（200海里）… 沿岸国が天然資源に対して主権的権利をもつ
- 公海 … どの国にも属さない

2．国家観の変遷

近代（19Ｃ）
- 夜警国家 … 国家の役割は国防と治安維持
- 立法国家 … 政治の中心は議会
- 消極国家 … 国家不介入の原則

資本主義の発達とともに経済格差が拡大
- 貧困、失業などの問題が発生
- 社会的弱者の保護が国家に求められるようになる

現代（20Ｃ）
- 福祉国家 … 国家が国民生活のあらゆる領域に関与するようになる
- 行政国家 … 議会に比べて行政府の地位が相対的に向上
- 積極国家 … 国家の任務の拡大

3．国家の位相

近代… 　近代国家 ＝ 夜警国家 ＝ 立法国家 ＝ 消極国家［小さな政府］
　　　　　 ⇕ 　　　　　 ⇕ 　　　　　 ⇕ 　　　　　 ⇕
現代… 　現代国家 ＝ 福祉国家 ＝ 行政国家 ＝ 積極国家［大きな政府］

ISSUE

年　　　　月　　　　日

第6講
民主政治の基本原理

１．民主政治の理論

民主政治 … 民主主義にもとづいて行われる政治

(1) 民主主義とは
民主主義 … democracy

demos　＋　kratia　の造語 … 「人民による支配」
人民　　　　支配

(2) 民主主義の形態
・直接民主主義 … すべての国民が政治の意思決定に参加する
・間接民主主義 … 国民から選ばれた代表を通して間接的に政治の意思決定に参加する

(3) 民主政治の基本原理
・法の支配
・国民主権
・基本的人権の保障
・権力分立

２．法の支配

権力を法に服させることで国民の権利を守ろうとする原理
イギリスで確立
「悪法は法にあらず」 国民の権利を侵害する法は認められない

⇔　法治主義
ドイツで確立
「悪法も法なり」 議会が制定すれば、悪法でもかまわない

3．国民主権

国の政治のあり方を最終的に決める力は国民にある

4．基本的人権の保障

人は生まれながらにして自由で平等
個人の権利や自由は人が生まれながらに持つ権利

5．権力分立

⑴権力の悪魔性

絶対的権力は絶対的に腐敗する

国家権力を複数の機関に分散させ、各機関に抑制と均衡の関係を保たせることで権力の濫用を防ごうとする

⑵権力分立論

ロック　　　　　　権力分立を最初に提唱、二権分立
モンテスキュー　ロックの理論を発展させ、三権分立論を唱える

国家権力を立法権、行政権、司法権の三つに分ける

ISSUE

年　　　月　　　日

第7講
政治制度論

1. 政治制度とは

政治制度 … 現実に政治を行うための制度
現在、各国の政治制度は大きく議院内閣制と大統領制に分けられる

- 議院内閣制 … イギリスで成立し、各国に広まる
- 大統領制　… アメリカ合衆国で採用される

2. イギリス

議院内閣制 … 内閣が議会の信任にもとづいて成立する
　　　　　　下院が内閣不信任を決議すると、内閣は総辞職するか、議会を解
　　　　　　散しなければならない

(1) 議会
二院制 … 貴族院、庶民院

(2) 不文憲法

(3) 二大政党制
保守党、労働党

3. アメリカ合衆国

大統領制 … 立法、行政、司法の三権が厳格に分離している

(1) 大統領
間接選挙で国民から選出される
- 任期4年
- 3選禁止

・議会は大統領への不信任決議権をもたない

・大統領は議会への出席権、解散権、法案提出権をもたない

(2) 議会
二院制　上院、下院

(3) 二大政党制
共和党、民主党

4. フランス

半大統領制 … 議院内閣制と大統領制の折衷型
大統領と首相が併存する　➡　大統領の権限が強い

議会
二院制 … 元老院、国民議会

5. 中国

権力集中制 … 全国人民代表大会に権力を集中させる
最高権力機関（毎年 1 回開催）

(1) 共産党の一党独裁

(2) 行政機関
国務院

(3) 司法機関
最高人民法院

ISSUE

年　　　　月　　　　日

第8講
国会

1．国会の地位

　国会は国権の最高機関で、国の唯一の立法機関（憲法41条）

　(1)国権の最高機関
　　主権者である国民の代表で構成されている［理論の根拠］

　(2)唯一の立法機関
　　国会中心立法の原則

2．国会の組織

　二院制 … 審議を慎重に行う

　(1)衆議院
　　・任期4年
　　・解散がある
　　・定数465名
　　・選挙権18歳以上
　　・被選挙権25歳以上
　　・小選挙区比例代表並立制（小選挙区制＋拘束名簿式比例代表制）

　(2)参議院
　　・任期6年（3年ごとに半数改選）
　　・解散なし
　　・定数248名
　　・選挙権18歳以上
　　・被選挙権30歳以上
　　・選挙区制 ＋ 非拘束名簿式比例代表制

3．国会議員の特権

(1) 免責特権
　院内での演説、討論、表決について、議員は院外で責任を問われない

(2) 不逮捕特権
　現行犯と院の許諾があった場合を除いて、国会の会期中は逮捕されない

(3) 歳費特権
　国庫から歳費を受ける

4．国会の種類

国会には通常国会、臨時国会、特別国会、参議院の緊急集会がある

(1) 通常国会 (常会)
　毎年1月召集、会期150日 (1回に限り延長できる)、予算・法律を審議

(2) 臨時国会 (臨時会)
　内閣が必要と認めたとき、いずれかの議院の総議員の4分の1以上の要求が
　あるとき、衆議院の任期満了にともなう総選挙後と参議院の通常選挙後30
　日以内に召集
　会期は不定 (延長2回まで)

(3) 特別国会 (特別会)
　衆議院解散後の総選挙の日から30日以内に召集する
　会期不定 (延長は2回まで)
　内閣総理大臣を指名

(4) 参議院の緊急集会
　衆議院解散中に緊急の必要がある場合に内閣が召集
　次の国会開催後10日以内に衆議院の同意が必要

5．本会議の運営

(1) 定足数
会議を開き、議決するために必要な出席者数
総議員の3分の1以上

(2) 表決
出席議員の過半数で議決

6．委員会制度

実質審議は本会議ではなく、各院の委員会で行われる
委員会は公聴会を開くことができる
➡　公聴会 … 学識経験者などの意見を聞く

7．国会の権能

(1) 立法権
法律案の議決、条約の承認、憲法改正の発議

(2) 行政監督権
内閣総理大臣の指名、内閣不信任決議、国政調査権

(3) 財政権
課税に対する議決、会計検査院の検査報告の審議・承認

(4) 弾劾裁判所の設置
裁判官を罷免するかどうかを判断

8. 衆議院の優越

(1) 議決上の優越

- 法律案

  参議院が異なる議決をし、あるいは衆議院で議決後、参議院が60日以内に議決しない

  ➡ 衆議院で出席議員の3分の2以上で再可決すると国会の議決になる

- 予算、条約の承認

  参議院が異なる議決をし、両院協議会でも意思が一致しない

  参議院が30日以内に議決しない

  ➡ 衆議院の議決が国会の議決になる

- 内閣総理大臣の指名

  参議院が異なる指名をした。参議院が10日以内に議決しない

  ➡ 衆議院の指名が国会の議決になる

(2) 権限上の優越

- 予算の先議権

  予算は必ず先に衆議院に提出しなければならない

- 内閣不信任決議

  内閣は衆議院で不信任の決議案を可決し、または信任の決議案を否決したときは、10日以内に衆議院が解散されない限り、総辞職しなければならない

(3) 両院対等の権限

- 憲法改正の発議権
- 国政調査権
- 裁判官の弾劾裁判権

ISSUE

年　　　月　　　日

第9講
内閣と裁判所

1．内閣

行政権は内閣に属する（憲法65条）

(1) 議院内閣制
内閣は行政権の行使について、国会に対して連帯して責任を負う
- 内閣は総理大臣と国務大臣で組織される
- 内閣総理大臣は国会議員の中から国会が指名し、天皇が任命する
- 国務大臣は総理大臣が任命し、任意に罷免できる

(2) 内閣総理大臣の権限
- 国務大臣の任免権
- 閣議の主宰
- 行政各部の指揮監督

(3) 内閣の権限
- 法律の執行
- 外交の処理
- 条約の締結
- 予算の作成
- 政令の制定
- 恩赦の決定
- 天皇の国事行為に対する助言と承認
- 最高裁判所長官の指名とその他の裁判官の任命

(4) 内閣総辞職と衆議院の解散
内閣はいつでも総辞職できる

衆議院が内閣不信任を決議した場合

衆議院を解散するか、内閣は総辞職する

２．裁判所

司法 … 法にもとづいて争いごとを解決すること

(1) 司法権
最高裁判所と下級裁判所のみがもつ
- 最高裁判所 … 司法権の最高機関、終審裁判所、「憲法の番人」
- 下級裁判所 … 高等裁判所、地方裁判所、家庭裁判所、簡易裁判所
- ➡　行政裁判所などの特別裁判所は設置できない

(2) 司法権の独立
裁判官は良心に従って職権を行い、憲法と法律にのみ拘束される
- 司法府の独立
- 裁判官の独立

(3) 裁判の種類
- 刑事裁判 … 犯罪を処罰する裁判
- 民事裁判 … 私人間の紛争を解決するための裁判
- 行政裁判 … 行政機関と個人の間、行政機関間での争いの裁判

(4) 三審制
同一案件で３回、裁判を受けることができる
　　第１審に不服の場合は控訴し、第２審に不服の場合は上告する

(5) 違憲立法審査権
法律、命令、規則、処分が憲法に適合するかどうかを審査する権限
すべての裁判所がもっている権限

(6) 裁判員制度
重大な刑事事件の第一審は、裁判員が裁判官とともに事実認定と量刑決定の判断を行う
- ➡　死刑、無期懲役、禁固刑にあたる重大犯罪
　　裁判員裁判を行うのは地方裁判所
　　裁判員は有権者から無作為に選ぶ

ISSUE

年　　　　月　　　　日

第10講
政党政治と選挙

1．政党政治

複数の政党が競い合いながら政治運営の中心を担う政治のあり方を政党政治という

(1) 政党

国民のさまざまな利益を集約して政策、綱領に転換し、それを掲げて政権獲得をめざす団体
- 与党 … 政権を担当している政党
- 野党 … 政権の外にある政党

(2) 政党制
- 二大政党制 … 2つの大きな政党が政権獲得を競合し合う政治状況
  ➡ 政局が安定し、政治責任の所在が明確になるが、多様な意見を反映しづらい

- 多党制 … 3つ以上の政党が政権獲得を競合し合う政治状況
  ➡ 多様な意見を反映しやすいが、連立政権となり政局が不安定化し、政治責任の所在も不明確になる

- 一党制 … 1つの政党が支配する政治状況
  ➡ 政局は安定するが、政策が硬直化し、少数の幹部による独裁政治を招きやすい

(3) 政党と圧力団体の相違
- 政党 … 国民的利益の実現をめざす。政権獲得が目標
- 圧力団体 … 特殊利益を実現するために、議会や行政官庁に働きかける社会集団。政権獲得はめざさない

2．選挙

国民の代表者を選び出し、それを議会に送る機能をもつのが選挙

(1) 選挙の原則 (四大原則)
- 普通選挙 … 一定の年齢に達したすべての国民に選挙権を認める
- 平等選挙 … 1人1票
- 秘密選挙 … 個々の有権者がだれに投票したか秘密にする
- 直接選挙 … 有権者が自ら直接、代表者を選ぶ

(2) 選挙制度
- 小選挙区制 … 1つの選挙区から1人の代表を選ぶ
  ➡ 政局は安定するが、死票が多く生じ、小政党に不利
    ゲリマンダーの危険
- 大選挙区制 … 1つの選挙区から2人以上の代表を選ぶ
- 比例代表制 … 各政党が獲得した得票数に応じて議席を配分する
  ➡ 死票が少なく、少数派でも代表を送ることができる
    小党分立になり、政局が不安定化しやすい

(3) 日本の選挙制度
- 衆議院議員選挙
  小選挙区比例代表並立制 (小選挙区制 ＋ 拘束名簿式比例代表制)

- 参議院議員選挙
  選挙区制 ＋ 非拘束名簿式比例代表制

(4) 選挙運動
  公職選挙法に規定がある
- 戸別訪問の禁止
- ネット選挙運動の解禁 … インターネットを利用した選挙運動が可能
- 連座制 … 選挙主宰責任者や出納責任者等が選挙違反で有罪になると、当
  選した候補者の当選が無効になる

ISSUE

第11講
地方自治

1. 地方自治とは

地域住民がその地域の政治問題を自主的に解決していく政治の仕組みが地方自治

「地方自治は民主主義の学校」（ブライス）

2. 地方自治の本旨

日本国憲法 … 第8章で地方自治を規定
　　憲法92条「地方公共団体の組織及び運営に関する事項は、地方自治の本旨に基づいて、法律でこれを定める」

・団体自治 … 地方公共団体が国や他の団体から独立、自立して自らの意思で活動する
・住民自治 … 住民が自らの地域に関する事柄を自ら決定し、実施する

3. 地方公共団体の種類

・普通地方公共団体 … 都道府県、市町村
・特別地方公共団体 … 特別区、財産区、組合など

4. 地方公共団体の仕組み

・議決機関
　　地方議会 … 一院制。任期4年。条例を制定し、予算を審議する
　　　　　　　　首長の不信任決議権をもつ
・執行機関
　　首長 ……… 任期4年。議案や予算を議会に提出し、条例を執行する
　　　　　　　　議会の議決に対し、拒否権をもつ

5．地方公共団体の事務

- 自治事務 … 地方公共団体が独自に処理する事務
- 法定受託事務 … 国が法令にもとづき、その処理を地方公共団体に委託した事務

6．地方公共団体の財源

- 自主財源 … 地方公共団体が自らの権限で徴収できる財源
  地方税 (住民税、固定資産税など)
- 依存財源 … 国または都道府県からの資金に依存する財源
  地方交付税交付金、国庫支出金、地方債

7．住民の権利

(1) 選挙権　　満18歳以上の男女

(2) 被選挙権　　都道府県知事　　　　……… 満30歳以上
　　　　　　　　市町村長、地方議会議員 … 満25歳以上

(3) 直接請求権
- 条例の制定・改廃請求権 (イニシアティブ)
  有権者の50分の1以上の署名を首長に提出
- 事務の監査請求権
  有権者の50分の1以上の署名を監査委員に提出
- 議会の解散請求権、首長や議員などの解職請求権 (リコール)
  有権者の3分の1以上の署名を選挙管理委員会に提出
  提出後、住民投票を実施して過半数の同意があれば、解散・失職する

(4) 住民投票権 (レファレンダム)
　　1つの地方公共団体のみに適用される特別法
　　地方公共団体での特定の政策に民意を反映させるための投票
　　議会解散、首長や議員などの解職の賛否を問うための投票 (直接請求権が
　　成立した場合)

ISSUE

年　　　月　　　日

第12講
国際政治

1. 国際社会

ウェストファリア条約によって成立

主権国家が国際社会を形成

➡　主権国家とは他国からの支配や干渉を受けない国家をいう

国際社会では、国家利益にもとづく権力政治が行われる

2. 国際法

国家間の紛争解決の手段が国際法

グロチウス『戦争と平和の法』

国際法を体系的に論じ、国際法の必要性を主張

(1) 国際慣習法

国家間で暗黙のうちに認められた合意

(2) 条約

明文化した文書による国家間の合意

(3) 国際法の課題

統一した立法機関、司法機関がない

3. 国際平和維持の方式

(1) 勢力均衡方式

対立する二国間または多国間で力を等しくすることで平和を維持する

(2) 集団安全保障方式

侵略国に対し、他のすべての国が集団制裁を加えて平和と安全を保障する

4．国際連盟

　　集団安全保障方式による史上初の国際平和機構
　　・米大統領ウィルソンが提唱
　　・1920年発足、本部はジュネーブ、原加盟国42か国
　　・目的 … 国際平和維持
　　・機関 … 総会、理事会、事務局、常設国際司法裁判所、国際労働機関
　　【課題】大国の不参加、全会一致制、制裁手段の不備

5．国際連合

　　1945年のサンフランシスコ会議で国際連合憲章が採択され、国際連合が発足
　　・本部はニューヨーク、原加盟国51か国（2023年現在193か国）
　　・目的 … 世界平和と安全の維持、軍縮の推進、人権の確立、難民救済など
　　・機関
　　　　総会 … 全加盟国で構成される国連の最高機関
　　　　安全保障理事会 … 国際平和と安全の維持を目的とする主要機関
　　　　　　　　　　　　　　15か国で構成（5常任理事国と10非常任理事国）
　　　　　　　　　　　　　　5常任理事国に拒否権 ＝ 五大国一致の原則
　　　　経済社会理事会 … 経済、社会、文化、人権問題など国際問題の解決を図る
　　　　国際司法裁判所 … 国家間の紛争を処理する

　　　　専門機関としてILO（国際労働機関）、FAO（国連食糧農業機関）、WHO
　　　　（世界保健機関）、UNESCO（国連教育科学文化機関）などがある

　　・国連の平和維持活動
　　　　国連軍 … 国際連合憲章にもとづいて設けられる武力制裁のための軍隊
　　　　平和維持活動（PKO）… 紛争地域の治安維持や停戦監視、人道支援な
　　　　　　　　　　　　　　　どを行う
　　　➡　　国連平和維持軍（PKF）が紛争当事国間の兵力の引き渡しなどの
　　　　　　任務にあたる
　　【課題】安保理常任理事国の拒否権、法的拘束力のなさ、敵国条項

ISSUE

年　　　月　　　日

Chapter III
社会政策

第13講
社会保障と労働問題

1．社会保障制度

疾病、失業、老齢などによる国民生活への不安に対して国が最低限度の生活を
保障する制度を社会保障制度という

(1) 歴史

1601年	イギリス	エリザベス救貧法
		貧民の救済
1883～	ドイツ	ビスマルク社会保険制度
1889年		疾病保険、災害保険、養老廃疾保険
1935年	アメリカ	社会保障法
1942年	イギリス	ベバレッジ報告
		「ゆりかごから墓場まで」
1944年	フィラデルフィア宣言	
	社会保障の国際的原則	
	社会保障制度の最低基準を提示	

(2) 日本の社会保障制度

社会保障は社会保険、公的扶助、社会福祉、公衆衛生に分けられる

①社会保険

保険料を徴収し、疾病や失業、老齢などによって所得を得ることができなく
なった時に保険制度にもとづき、一定の給付を行い、所得を保障する制度
・医療保険 … 疾病、負傷に対し、医療費の一部を給付する
・年金保険 … 65歳以上の人に対する老齢年金
　　　　　　　賦課方式 ＝ 必要な年金給付の費用を現役世代のその年の
　　　　　　　　　　　　　保険料で賄う
・雇用保険 … 失業した人への給付

・労災保険 … 労働業務や通勤による労働者の負傷などを保障する
・介護保険 … 介護が必要な人に対して介護サービスなどの費用の一部を
　　　　　　　給付する
　　　　　　　40歳以上の人が保険料を負担

②公的扶助 … 国が公費で生活困窮者の最低限度の生活を保障する制度

③社会福祉 … 社会的弱者に対して必要な助力を行う制度
　　　　　　　　児童、老人、心身障がい者、ひとり親家庭など

④公衆衛生 … 国民の健康の維持、増進を図る制度
　　　　　　　伝染病、公害病などの予防

2. 労働問題

(1) 労働力

働いている人および働きたいと思っている人
　➡　日本では15歳以上はすべて潜在的に労働力となりうる

(2) 現代日本の労働事情
・日本型労働慣行の崩壊
　　終身雇用制　……　正規雇用した従業員を定年まで雇用する
　　年功序列型賃金 … 勤続年数、年齢によって昇給する賃金体系
・非正規雇用者の増加
　　パート、アルバイト、派遣社員　➡　正規雇用との格差
・ワーキングプア（働く貧困層）… 働いているが、生活保護世帯より低い所
　　　　　　　　　　　　　　　　　　得水準を強いられる
・フリーター、ニートの増加
・労働力人口の減少と外国人労働者の増加

ISSUE

Chapter IV
財政学

第14講
財政と予算

1. 財政とは

国や地方公共団体の経済活動を財政という
- 財政の収入 ＝ 歳入
- 財政の支出 ＝ 歳出

➡ 国、地方公共団体が歳入、歳出を通じて国民、住民に公共サービスを提供する一連の経済活動のこと

2. 財政の機能

(1) 資源の適正配分機能
税金を用いて公共サービス、社会資本を提供する

(2) 所得の再分配機能
累進課税や社会保障制度を通じて格差を是正する

(3) 景気の安定化機能

景気動向に応じて財政支出を調整する ＝ フィスカル・ポリシー
（裁量的財政政策）

不況期 … 公共投資を増やし、減税を実施して景気を刺激する
好況期 … 公共投資を減らし、増税して景気の過熱を抑制する

累進課税制度と社会保障制度 ＝ ビルトイン・スタビライザー
（自動安定化装置）

➡ 景気を自動的に安定化させる機能が組み込まれている
不況期 … 国民所得が減り歳入も減少、社会保障費の支出が増える
好況期 … 国民所得が増えて歳入が増え、社会保障費の支出が減る

3．予算制度

予算は会計年度ごとに作成される
　ある会計年度の支出は、その会計年度の収入で賄わなければならない

⑴ 国の予算
　　①一般会計予算 … 国の一般行政に関わる予算
　　②特別会計予算 … 特定の事業を行うための予算
　　③政府関係機関予算 … 国が出資する特殊法人の予算
　　　　　　　　　　　　　　　日本政策金融公庫、国際協力銀行、
　　　　　　　　　　　　　　　沖縄振興開発金融公庫など

⑵ 財政投融資
　　国が財政資金で行う投資や融資などの金融活動を財政投融資という
　　　政府が資金を市場から調達して地域活性化や中小企業支援、福祉分野などに融通する

4．租税

租税は国税と地方税、直接税と間接税、累進税と比例税に分類できる

⑴ 国税と地方税
　　　　国税 …… 国が徴収主体となる税
　　　　地方税 … 地方が徴収主体となる税

⑵ 直接税と間接税
　　　　直接税 … 納税する人（納税義務者）と税を負担する人（税負担者）が
　　　　　　　　 同一の税
　　　　間接税 … 納税する人（納税義務者）と税を負担する人（税負担者）が
　　　　　　　　 異なる税

⑶ 累進税と比例税
　　　　累進税 … 所得が高い人ほど税率が高くなる税
　　　　比例税 … 税率が一定の税

5. 公債

国および地方公共団体が資金の借り入れのために発行するのが公債である
　　➡　公的に発行される債券、有価証券
　　・国債 …… 国が発行する
　　・地方債 … 地方公共団体が発行する

(1) 国債の種類
　　建設国債 … 公共事業などのために発行される国債
　　　　　　　　財政法で発行が認められている
　　赤字国債 … 一般会計の歳入不足を補うために発行される国債
　　　　　　　　財政法で発行が禁止されている
　　　　　　　➡　特例国債としてほぼ毎年、発行されている

(2) 国債市中消化の原則
　　国債は個人や金融機関が購入する
　　➡　日本銀行が国から国債を直接購入することは財政法で禁止されている

(3) 国債発行の現状
　　国債の大量発行

　　国債費の増加
　　　　利払い費や元本の償還費用

　　他の政策的経費を圧迫し、政策の裁量的選択の余地を狭める

ISSUE

年　　　月　　　日

Chapter V

経済学

経済学の発達

1. 古典学派

アダム＝スミス『国富論（諸国民の富）』
　　国家は経済活動に介入しないほうがいい
　　個人の経済活動は「神の見えざる手」に導かれる

マルサス『人口論』
　　人口増加の抑制を主張

リカード『経済学および課税の原理』
　　比較生産費説 … 各国は生産費が安くなる商品を生産すべきである
　　　　　　　　　　生産費が高くなる商品は他国から輸入することで利益
　　　　　　　　　　が大きくなる

2. マルクス経済学

マルクス『資本論』
　　社会主義による計画経済への移行を主張
　　資本主義の矛盾を科学的に批判

3. 近代経済学

ケインズ『雇用、利子および貨幣の一般理論』
　　有効需要論 … 政府は経済に積極的に介入すべきである
　　　　　　　　　公共投資によって有効需要を拡大することで、景気回復、
　　　　　　　　　完全雇用が実現

シュンペーター『経済発展の理論』
　　経済発展の原動力は技術革新にある

ISSUE

年　　　　月　　　　日

第16講
経済の発展と現代の市場

1. 資本主義と社会主義

(1) 資本主義経済

　　自由放任、自由競争にもとづく市場経済　➡　政府は経済に介入しない
　　個人や企業は利潤を追求する

(2) 修正資本主義

　　政府は積極的に経済に介入すべき

(3) 社会主義経済

　　商品の生産や販売を個人の自由ではなく政府の計画によって行う計画経済

(4) 現代の社会主義経済

　　社会主義経済を維持しながら資本主義経済の原理を導入して経済の効率化を
　　進める

2. 市場

　財、サービスの売り手と買い手が売買を行う場 ＝ 市場
　市場を仲立ちとして生産や分配が行われる経済 ＝ 市場経済
　市場の需要・供給関係の変動によって成立する価格 ＝ 市場価格

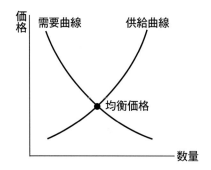

⑴需要と供給

　①需要 … 消費者が購入する商品の量

　　　　価格が上昇すると需要は減少する

　②供給 … 生産者が生産する商品の量

　　　　価格が上昇すると供給は増加する

　③均衡価格 … 需要量と供給量が一致するときの価格

　　　　価格の変化に応じて需要量と供給量が変化し、やがて一致する

　　　　➡　価格の自動調節機能

　　　　価格の自動調節機能がはたらいた結果、価格が資源の最適配分機

　　　　能を果たす仕組み

　　　　➡　市場メカニズム

⑵現代の市場

　①完全競争市場 … 売り手と買い手が多数存在

　②不完全競争市場

　　・独占市場 … 市場に売り手が１社しか存在しない

　　・寡占市場 … 少数の企業が市場を占める

　➡　・市場で支配力をもつ企業が設定した価格に他の企業が追随する

　　　・生産コストが下がり、需要が減少しても価格が下がらない

　　　・広告、宣伝、デザイン、サービス競争など価格以外の領域で競争が

　　　　行われる

⑶市場の失敗

　市場メカニズムが正常に機能しない状態

　　・独占市場

　　・寡占市場

　➡　需要が減っても供給者は価格を下げようとしない

ISSUE

年　　　　月　　　　日

第17講
企業と資本結合

1. 企業

(1) 企業の種類

①公企業

国や地方公共団体が出資、経営する企業

②公私混合企業

国、地方公共団体と民間が合同で出資、経営する企業

③私企業

民間が出資、経営する企業

- 個人企業 … 個人商店、農家
- 法人企業 … 組合企業（農業協同組合、生活協同組合など）
    会社企業（株式会社、合同会社、合名会社、合資会社）

(2) 株式会社

現代の資本主義経済におけるもっとも一般的な企業形態

- 資本金1円から設立できる
- 株式を発行して多くの出資者から資金を集める
- 出資者は株主と呼ばれ、出資額に応じて企業の利益の一部を配当として受ける
- 最高意思決定機関は株主総会で、株主は一株一票の議決権をもつ
- 業務執行機関は取締役会。経営を担う取締役は株主総会で選出される

2. 大企業と中小企業

(1) 中小企業の定義

中小企業基本法

- 製造業　　　資本金3億円以下、従業員300人以下
- 卸売業　　　資本金1億円以下、従業員100人以下
- サービス業　資本金5000万円以下、従業員100人以下
- 小売業　　　資本金5000万円以下、従業員50人以下

(2) 大企業の定義

　　大企業を定義している法律は存在しない

　　　➡　中小企業の基準をこえる企業が大企業

(3) 日本経済の二重構造

　　中小企業は大企業に比べて賃金、労働時間、福利厚生などの労働条件が劣り、大きな格差が存在する

　　　… 不況期には系列の下請け企業は発注削減など景気変動の調節弁として使われる

(4) 中小企業の未来

　　ベンチャー企業 … 独自のアイデアや技術を生かして独創的な商品、サービスを展開する中小企業

　　ニッチ産業 … 市場規模が小さく既存の企業が進出しにくい産業

3. 資本結合

(1) カルテル … 協定による企業連合

　　同種の企業が価格、生産量、販路などについて協定を結ぶ

(2) トラスト … 合併による企業合同

　　同種の企業が合併して新しい一つの企業になること

(3) コンツェルン … 出資による企業連携

　　株式保有や融資関係を通じて企業を支配すること

(4) コングロマリット … 複合企業

　　異なる業種の企業を吸収合併し、巨大化した企業

　➡　独占禁止法 … 価格機構を正常に機能させるため独占、寡占を法律で規制

ISSUE

年　　　月　　　日

第18講
国民所得と経済の変動

1. ストックとフロー

国民経済の規模はストックとフローの両面から評価できる

(1) ストック … 一時点における国の有形資産と対外純資産の合計

　　　　　　　土地、建物、工場、道路、外国に保有する資産

(2) フロー　 … 一定期間における経済活動の成果

　　　　　　　国民所得、国際収支

2. 国民所得の算出

一国で一年間に新たに生産された財やサービスに含まれる付加価値の合計額

(1) 国内総生産 GDP … 一年間に国内で生み出された付加価値の合計

| 国内生産総額 | － | 中間生産物の額 |

(2) 国民総生産 GNP … 一年間に国民が生み出した付加価値の合計

| 国内総生産 | ＋ | 海外からの純所得 |

(3) 国民純生産 NNP … 一年間に国民が生み出した純生産額の合計

| 国民総生産 | － | 固定資本減耗 |

(4) 国民所得 NI … 一年間に国民が生み出した所得の合計

| 国民純生産 | － | 間接税 | ＋ | 補助金 |

【三面等価の原則】

　国民所得は、その循環の過程により、①生産、②分配、③支出の３つの面から
とらえることができる

　➡　生産、分配、支出の各国民所得額は等しくなる

3. 経済の変動

(1) 景気循環

景気は周期的に循環する

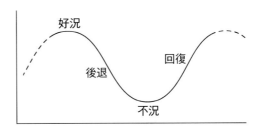

(2) 景気循環の波

① キチンの波 ……………… 40か月周期、在庫投資の増減

② ジュグラーの波 ……… 10年周期、設備投資の増減

③ クズネッツの波 ……… 20年周期、住宅・建築投資の増減

④ コンドラチェフの波 … 50年周期、技術革新

(3) 経済成長

国内総生産の年々の増加率

・名目成長率 … 物価変動の影響を取り除かずに得た国内総生産成長率

・実質成長率 … 物価変動分の影響を取り除いて得た国内総生産成長率

ISSUE

年　　　月　　　日

第19講
インフレ・デフレと通貨

1. インフレーションとデフレーション

⑴ インフレーション

　物価が継続的に上昇する状態

　　・ディマンド・プル・インフレ … 需要が供給を上回ることで発生
　　・コスト・プッシュ・インフレ … 原材料費や賃金の上昇によって発生

　　インフレーションが起こると、貨幣価値が下落

　　負債の実質負担削減
　　年金や預貯金、固定賃金で生活している人は実質的な生活水準が低下
　　過度なインフレは経済を混乱させる

　　スタグフレーション … 景気が悪化、停滞しているにもかかわらず物価が上
　　　　　　　　　　　　　　昇する現象

⑵ デフレーション

　　物価が継続的に下落する状態

　　デフレーションが起こると、貨幣価値が上昇

　　景気が停滞すると失業率が上がる
　　消費が落ち込み、物価はさらに下落

　　デフレ・スパイラル … 物価の下落と企業業績の悪化が相互に作用し、景気
　　　　　　　　　　　　　がどんどん悪化する現象

２．通貨

(1) 通貨の種類
　①現金通貨

　　　　紙幣 … 日本銀行発行の銀行券
　　　　硬貨 … 政府発行の貨幣

　②預金通貨

　　　　普通預金、当座預金など … いつでも引き出せる要求払預金

　➡　　マネーストック … 個人、企業、地方公共団体などが保有する通貨の総量

(2) 貨幣の機能
　①価値尺度手段 … 商品価値を金額で表す
　②交換・支払い手段 … 財やサービスを購入できる
　③価値貯蔵手段 … 資産として貨幣を保存する

(3) 通貨制度
　①金本位制

　　　　一国の中央銀行の金の保有量にもとづいて通貨を発行する制度
　　　　紙幣は金との交換が保障される兌換紙幣を発行する

　②管理通貨制度

　　　　政府や中央銀行の自由裁量で通貨を発行する制度
　　　　金とは交換できない不換紙幣を発行する

ISSUE

年　　　月　　　日

第20講
金融と日本銀行

1. 金融の種類

  (1) 直接金融
    企業が株式などを発行して資金を調達する方法

  (2) 間接金融
    企業が金融機関から資金を借り入れる方法

2. 信用創造

    銀行は預かっている預金額の何倍もの資金を貸し出している
    銀行は貸付操作を通じて当初の預金額以上の預金通貨を創造する

3. 日本銀行の金融政策

  一国の金融制度の中心的な機関として存在する銀行を中央銀行という
    ➡ 日本の中央銀行は日本銀行

  (1) 日本銀行の業務
    ①銀行の銀行 … 市中銀行への貸し付けや預金の受け入れを行う
    ②政府の銀行 … 税金など、国庫金の出納、管理を行う
    ③発券銀行 … 紙幣を発行する

  (2) 金融政策
    日本銀行は金融政策の実施主体

    景気に応じて通貨量を調節する
      不況時 … 通貨量を増やして景気の回復を図る
      好況時 … 通貨量を減らしてインフレを抑制する

①公開市場操作 ＝ オープン・マーケット・オペレーション
　日本銀行が市中銀行と国債などの有価証券を売買することで通貨量を調節する
　・好況時 … 金融市場から資金を吸収して通貨量を減らす
　・不況時 … 金融市場に資金を供給して通貨量を増やす

②預金準備率操作
　市中銀行は、受け入れた預金の一定割合を日本銀行に預けなければならない
　・預け入れる割合を預金準備率という
　・不況時は預金準備率を引き下げ、好況時は引き上げる

③金利政策
　日本銀行が市中銀行に資金を貸し出すときの利子率を公定歩合という
　不況時は公定歩合を引き下げ、好況時は引き上げる
　➡　公定歩合は2006年から「基準割引率および基準貸付利率」という名称に変更

※現在、金融政策の中心は公開市場操作で、預金準備率操作と金利政策は行われていない

ISSUE

年　　　月　　　日

第21講
貿易と国際収支

1. 貿易

ある国と別の国との間で行われる商品の売買を貿易という

(1) 保護貿易
国内の産業を保護、育成するために国家が関税、輸入制限などを設ける貿易
ドイツの経済学者リストが主張

(2) 自由貿易
国家の干渉を排して自由に行う貿易

比較生産費説
- イギリスの経済学者リカードが主張
- 自国にとって有利な商品に生産を特化し、不利な商品を他国から輸入すれば世界全体の利益を大きくできる
  ➡ そのために自由貿易を推進することが望ましい

2. 国際分業

(1) 水平的分業 … 先進国どうしで工業製品を交換すること

(2) 垂直的分業 … 先進国が工業製品を生産し、途上国が原材料や部品などを生産して交換すること

3．国際収支

一国の一定期間に外国から受け取った金額と外国へ支払った金額の差額

【国際収支の分類】

経常収支	貿易・サービス収支… 商品の輸出入、旅行など
	第一次所得収支… 投資収益、雇用者報酬など
	第二次所得収支… 援助、国際機関拠出金など
資本移転等収支	無償資金援助など
金融収支	不動産購入、株や債券の購入

4．外国為替

(1) 外国為替相場 … 自国通貨と他国通貨との交換比率

例 1 ドル120円が80円になった
➡ 円高・ドル安 … 円の対外的価値が上がる
輸出に不利、輸入に有利

例 1 ドル100円が140円になった
➡ 円安・ドル高 … 円の対外的価値が下がる
輸出に有利、輸入に不利

(2) 固定為替相場制 … 為替レートを特定の水準に固定すること

(3) 変動為替相場制 … 為替レートが需要と供給によって変動すること

ISSUE

年　　　月　　　日

第22講
国際経済

1．国際通貨体制

(1) ブレトン・ウッズ体制

　　1944年　ブレトン・ウッズ協定

　　　　第二次世界大戦後の国際為替金融の新しいルールについての協定

　　　①ドルを基軸通貨とする固定為替相場制を採用

　　　　　ドルと金の交換をアメリカ政府が保証

　　　②IMF（国際通貨基金）設立

　　　　　各国通貨の為替レートを安定させるために必要な資金を融資

　　　③IBRD（国際復興開発銀行）設立

　　　　　戦後の経済復興と途上国支援のため長期資金を貸し付ける

(2) ブレトン・ウッズ体制の崩壊

　　世界貿易が進展

　　⬇

　　ドルが大量に発行され、アメリカの国際収支が悪化

　　⬇

　　ドルへの信頼が失墜

　　　1971年　ニクソン・ショック

　　　　　　アメリカ大統領ニクソンは金とドルの交換停止を発表

　　　　　　＝ ブレトン・ウッズ体制の崩壊

　　　1971年　スミソニアン協定

　　　　　　多国間の通貨の為替レートを調整

　　　　　　固定為替相場制の再建を試みる

　　　　　　➡　ドルの信頼は回復されず、固定為替相場制の維持が困難

になる

1973年　各国は変動為替相場制に移行

1976年　キングストン体制
　　　　　　　変動為替相場制の正式承認

2. 国際貿易体制

(1) GATT … 関税と貿易に関する一般協定
　・1948年発足
　・関税や輸入制限を排し、自由貿易の促進を図る
　・多国間交渉を通じて関税の引き下げなどをめざす
　　　1964 ～ 67年　ケネディラウンド
　　　1973 ～ 79年　東京ラウンド
　　　1986 ～ 94年　ウルグアイラウンド　➡　WTOの設立合意

(2) WTO … 世界貿易機関
　・1995年設立
　・GATTを発展的に改組
　　　GATTより権限が大幅に強化される

(3) 地域的経済統合
　① OECD (経済協力開発機構)
　　　　　先進国による経済協力機関
　② ASEAN (東南アジア諸国連合)
　　　　　東南アジア諸国による経済協力機構
　③ EU (ヨーロッパ連合)
　　　　　経済、外交、安全保障などを統合
　④ NAFTA (北米自由貿易協定)
　　　　　アメリカ、カナダ、メキシコによる自由貿易協定
　⑤ TPP (環太平洋経済連携協定)
　　　　　自由貿易を促進するための協定

ISSUE

年　　　月　　　日

第23講
日本経済の発展

1. 経済の民主化

1945年〜　第二次世界大戦後に日本を占領したGHQ（連合国総司令部）の主
　　　　　導で経済を民主化させるための三大改革が行われる

(1) 農地改革
政府が地主から農地を強制的に買い上げ、小作人に売り渡す

(2) 財閥解体
四大財閥を解体し、企業間の自由競争を促進
➡　独占禁止法の制定

(3) 労働民主化
労働三法の制定
➡　労働基準法、労働組合法、労働関係調整法

2. 経済復興期

1946 〜 1950年代

(1) 傾斜生産方式
基幹産業に資金、労働力を重点的に投入

(2) ドッジ・ライン
ハイパーインフレを収束させるための経済安定政策

(3) 特需景気（1950 〜 53年）
朝鮮戦争が勃発
➡　アメリカ軍から物資、武器補修などの特需が発生
　　日本経済が成長軌道に入る契機となる

3．高度経済成長

　　1950年代半ば～1970年代はじめ　年平均の経済成長率が10%をこえる
　　　　神武景気　➡　岩戸景気　➡　オリンピック景気　➡　いざなぎ景気

　　1960年　国民所得倍増計画

　　1968年　日本のGNPがアメリカに次ぐ第2位になる

4．1970年代

　　1973年　第一次オイルショック（石油危機）
　　　　　　　第4次中東戦争にともないアラブ諸国が原油供給を制限したた
　　　　　　　め、原油価格が4倍になる

　　1974年　戦後初めてマイナス成長を記録
　　　　　　　➡　高度経済成長の終了

　　1975年から政府は赤字国債を発行

5．1980年代

　　対アメリカを中心に貿易黒字が拡大
　　ドル高・円安の進行

　　1985年　プラザ合意
　　　　　　　　ドル高の是正
　　　　　　　　円高が急激に進行し日本の輸出産業に打撃　➡　円高不況

　　1986～91年　バブル景気
　　　　　　　円高不況対策として超低金利政策を実施

　　　　　　通貨の供給量増大

　　　　　　土地、株式への投資の促進

　　　　　　地価、株価の高騰

6．1990年代

地価、株価の下落
企業、個人に多額の損失が発生

景気が急速に後退

1991年　バブル崩壊
　　　　　　デフレの進行
　　　　　　失業率が5%超まで上昇
　　　　　　景気悪化と物価下落の悪循環

バブル崩壊後の景気低迷
「失われた10年」

7．2000年代以降

2002〜2007年　いざなみ景気
　　　　　　　戦後最長となる景気拡大　73か月
　　　　　　　実感なき景気回復

2008年　世界金融危機
　　　　　アメリカの大手証券会社が倒産したリーマンショックをきっかけ
　　　　　に世界経済が低迷

2011年　東日本大震災、東京電力福島第一原発事故

8．産業構造の高度化

・一国の経済は、発展するにつれて、所得構造と就業人口の比重が第一次産
　業から第二次産業、第三次産業へと移行する［ペティ・クラークの法則］

・第三次産業が経済の中心を占める［経済のサービス化］

・知識、情報、ノウハウ、アイデアなどにモノに付加される価値の比重が高
　まる［経済のソフト化］

ISSUE

年　　　　月　　　　日

日本国憲法

昭和21年11月3日公布
昭和22年5月3日施行

（前文）

　日本国民は、正当に選挙された国会における代表者を通じて行動し、われらとわれらの子孫のために、諸国民との協和による成果と、わが国全土にわたつて自由のもたらす恵沢を確保し、政府の行為によつて再び戦争の惨禍が起ることのないやうにすることを決意し、ここに主権が国民に存することを宣言し、この憲法を確定する。そもそも国政は、国民の厳粛な信託によるものであつて、その権威は国民に由来し、その権力は国民の代表者がこれを行使し、その福利は国民がこれを享受する。これは人類普遍の原理であり、この憲法は、かかる原理に基くものである。われらは、これに反する一切の憲法、法令及び詔勅を排除する。

　日本国民は、恒久の平和を念願し、人間相互の関係を支配する崇高な理想を深く自覚するのであつて、平和を愛する諸国民の公正と信義に信頼して、われらの安全と生存を保持しようと決意した。われらは、平和を維持し、専制と隷従、圧迫と偏狭を地上から永遠に除去しようと努めてゐる国際社会において、名誉ある地位を占めたいと思ふ。われらは、全世界の国民が、ひとしく恐怖と欠乏から免かれ、平和のうちに生存する権利を有することを確認する。

　われらは、いづれの国家も、自国のことのみに専念して他国を無視してはならないのであつて、政治道徳の法則は、普遍的なものであり、この法則に従ふことは、自国の主権を維持し、他国と対等関係に立たうとする各国の責務であると信ずる。

　日本国民は、国家の名誉にかけ、全力をあげてこの崇高な理想と目的を達成することを誓ふ。

第1章　天皇

〔天皇の地位と国民主権〕

第一条　天皇は、日本国の象徴であり日本国民統合の象徴であつて、この地位は、主権の存する日本国民の総意に基く。

〔皇位の継承〕

第二条　皇位は、世襲のものであつて、国会の議決した皇室典範の定めるところにより、これを継承する。

〔内閣の助言と承認および責任〕

第三条　天皇の国事に関するすべての行為には、内閣の助言と承認を必要とし、内閣が、その責任を負ふ。

〔天皇の権能と権能行使の委任〕

第四条　天皇は、この憲法の定める国事に関する行為のみを行ひ、国政に関する権能を有しない。

2　天皇は、法律の定めるところにより、その国事に関する行為を委任することができる。

〔摂政〕

第五条　皇室典範の定めるところにより摂政を置くときは、摂政は、天皇の名でその国事に関する行為を行ふ。この場合には、前条第一項の規定を準用する。

〔天皇の任命権〕

第六条　天皇は、国会の指名に基いて、内閣総理大臣を任命する。

2　天皇は、内閣の指名に基いて、最高裁判所の長たる裁判官を任命する。

〔天皇の国事行為〕

第七条　天皇は、内閣の助言と承認により、国民のために、左の国事に関する行為を行ふ。

　一　憲法改正、法律、政令及び条約を公布すること。

　二　国会を召集すること。

　三　衆議院を解散すること。

　四　国会議員の総選挙の施行を公示すること。

　五　国務大臣及び法律の定めるその他の官吏の任免並びに全権委任状及び大使及び公使の信任状を認証すること。

　六　大赦、特赦、減刑、刑の執行の免除及び復権を認証すること。

　七　栄典を授与すること。

　八　批准書及び法律の定めるその他の外交文書を認証すること。

　九　外国の大使及び公使を接受すること。

　十　儀式を行ふこと。

〔皇室財産授受の制限〕

第八条　皇室に財産を譲り渡し、又は皇室が、財産を譲り受け、若しくは賜与することは、国会の議決に基かなければならない。

第2章　戦争の放棄

〔戦争放棄と戦力および交戦権の否認〕

第九条　日本国民は、正義と秩序を基調とする国際平和を誠実に希求し、国権の発動たる戦争と、武力による威嚇又は武力の行使は、国際紛争を解決する手段としては、永久にこれを放棄する。

２　前項の目的を達するため、陸海空軍その他の戦力は、これを保持しない。国の交戦権は、これを認めない。

第3章　国民の権利及び義務

〔日本国民の要件〕

第十条　日本国民たる要件は、法律でこれを定める。

〔基本的人権〕

第十一条　国民は、すべての基本的人権の享有を妨げられない。この憲法が国民に保障する基本的人権は、侵すことのできない永久の権利として、現在及び将来の国民に与へられる。

〔自由および権利の保持義務と公共の福祉〕

第十二条　この憲法が国民に保障する自由及び権利は、国民の不断の努力によつて、これを保持しなければならない。又、国民は、これを濫用してはならないのであつて、常に公共の福祉のためにこれを利用する責任を負ふ。

〔個人の尊重と幸福追求権〕

第十三条　すべて国民は、個人として尊重される。生命、自由及び幸福追求に対する国民の権利については、公共の福祉に反しない限り、立法その他の国政の上で、最大の尊重を必要とする。

〔法の下の平等、貴族制度の否認、栄典の限界〕

第十四条　すべて国民は、法の下に平等であつて、人種、信条、性別、社会的身分又は門地により、政治的、経済的又は社会的関係において、差別されない。

２　華族その他の貴族の制度は、これを認めない。

３　栄誉、勲章その他の栄典の授与は、いかなる特権も伴はない。栄典の授与は、現にこれを有し、又は将来これを受ける者の一代に限り、その効力を有する。

〔公務員の選定罷免権、公務員の本質、普通選挙・投票秘密の保障〕

第十五条　公務員を選定し、及びこれを罷免することは、国民固有の権利である。

２　すべて公務員は、全体の奉仕者であつて、一部の奉仕者ではない。

３　公務員の選挙については、成年者による普通選挙を保障する。

４　すべて選挙における投票の秘密は、これを侵してはならない。選挙人は、その選択に関し公的にも私的にも責任を問はれない。

〔請願権〕

第十六条　何人も、損害の救済、公務員の罷免、法律、命令又は規則の制定、廃止又は改正その他の事項に関し、平穏に請願する権利を有し、何人も、かかる請願をしたためにいかなる差別待遇も受けない。

〔公務員の不法行為による国および公共団体の賠償責任〕

第十七条　何人も、公務員の不法行為により、損害を受けたときは、法律の定めるところにより、国又は公共団体に、その賠償を求めることができる。

〔奴隷的拘束および苦役からの自由〕

第十八条　何人も、いかなる奴隷的拘束も受けない。又、犯罪に因る処罰の場合を除いては、その意に反する苦役に服させられない。

〔思想および良心の自由〕

第十九条　思想及び良心の自由は、これを侵してはならない。

〔信教の自由〕

第二十条　信教の自由は、何人に対してもこれを保障する。いかなる宗教団体も、国から特権を受け、又は政治上の権力を行使してはならない。

２　何人も、宗教上の行為、祝典、儀式又は行事に参加することを強制されない。

３　国及びその機関は、宗教教育その他いかなる宗教的活動もしてはならない。

〔集会・結社・表現の自由、通信の秘密〕

第二十一条　集会、結社及び言論、出版その他一切の表現の自由は、これを保障する。

２　検閲は、これをしてはならない。通信の秘密は、これを侵してはならない。

〔居住・移転・職業選択、外国移住および国籍離脱の自由〕

第二十二条　何人も、公共の福祉に反しない限り、居住、移転及び職業選択の自由を有する。

２　何人も、外国に移住し、又は国籍を離脱する自由を侵されない。

〔学問の自由〕

第二十三条　学問の自由は、これを保障する。

〔家族関係における個人の尊厳と両性の平等〕

第二十四条　婚姻は、両性の合意のみに基いて成立し、夫婦が同等の権利を有することを基本として、相互の協力により、維持されなければならない。

２　配偶者の選択、財産権、相続、住居の選定、離婚並びに婚姻及び家族に関するその他の事項に関しては、法律は、個人の尊厳と両性の本質的平等に立脚して、制定されなければならない。

〔生存権および国民生活の社会的進歩向上に努める国

〔の義務〕

第二十五条　すべて国民は、健康で文化的な最低限度の生活を営む権利を有する。

2　国は、すべての生活部面について、社会福祉、社会保障及び公衆衛生の向上及び増進に努めなければならない。

〔教育を受ける権利、受けさせる義務、義務教育の無償〕

第二十六条　すべて国民は、法律の定めるところにより、その能力に応じて、ひとしく教育を受ける権利を有する。

2　すべて国民は、法律の定めるところにより、その保護する子女に普通教育を受けさせる義務を負ふ。義務教育は、これを無償とする。

〔勤労の権利・義務、勤労条件の基準、児童酷使の禁止〕

第二十七条　すべて国民は、勤労の権利を有し、義務を負ふ。

2　賃金、就業時間、休息その他の勤労条件に関する基準は、法律でこれを定める。

3　児童は、これを酷使してはならない。

〔勤労者の団結権・団体交渉権その他の行動権〕

第二十八条　勤労者の団結する権利及び団体交渉その他の団体行動をする権利は、これを保障する。

〔財産権〕

第二十九条　財産権は、これを侵してはならない。

2　財産権の内容は、公共の福祉に適合するやうに、法律でこれを定める。

3　私有財産は、正当な補償の下に、これを公共のために用ひることができる。

〔納税の義務〕

第三十条　国民は、法律の定めるところにより、納税の義務を負ふ。

〔法定手続きの保障〕

第三十一条　何人も、法律の定める手続によらなければ、その生命若しくは自由を奪はれ、又はその他の刑罰を科せられない。

〔裁判を受ける権利〕

第三十二条　何人も、裁判所において裁判を受ける権利を奪はれない。

〔逮捕の制約〕

第三十三条　何人も、現行犯として逮捕される場合を除いては、権限を有する司法官憲が発し、且つ理由となつてゐる犯罪を明示する令状によらなければ、逮捕されない。

〔抑留・拘禁の制約〕

第三十四条　何人も、理由を直ちに告げられ、且つ、直ちに弁護人に依頼する権利を与へられなければ、抑留又は拘禁されない。又、何人も、正当な理由が

なければ、拘禁されず、要求があれば、その理由は、直ちに本人及びその弁護人の出席する公開の法廷で示されなければならない。

〔住居侵入、捜索及び押収の制約〕

第三十五条　何人も、その住居、書類及び所持品について、侵入、捜索及び押収を受けることのない権利は、第三十三条の場合を除いては、正当な理由に基いて発せられ、且つ捜索する場所及び押収する物を明示する令状がなければ、侵されない。

2　捜索又は押収は、権限を有する司法官憲が発する各別の令状により、これを行ふ。

〔拷問および残虐な刑罰の禁止〕

第三十六条　公務員による拷問及び残虐な刑罰は、絶対にこれを禁ずる。

〔刑事被告人の権利〕

第三十七条　すべて刑事事件においては、被告人は、公平な裁判所の迅速な公開裁判を受ける権利を有する。

2　刑事被告人は、すべての証人に対して審問する機会を充分に与へられ、又、公費で自己のために強制的手続により証人を求める権利を有する。

3　刑事被告人は、いかなる場合にも、資格を有する弁護人を依頼することができる。被告人が自らこれを依頼することができないときは、国でこれを附する。

〔不利益な自白強要の禁止、自白の証拠能力〕

第三十八条　何人も、自己に不利益な供述を強要されない。

2　強制、拷問若しくは脅迫による自白又は不当に長く抑留若しくは拘禁された後の自白は、これを証拠とすることができない。

3　何人も、自己に不利益な唯一の証拠が本人の自白である場合には、有罪とされ、又は刑罰を科せられない。

〔刑事法規の不遡及、二重処罰等の禁止〕

第三十九条　何人も、実行の時に適法であつた行為又は既に無罪とされた行為については、刑事上の責任を問はれない。又、同一の犯罪について、重ねて刑事上の責任を問はれない。

〔刑事補償〕

第四十条　何人も、抑留又は拘禁された後、無罪の裁判を受けたときは、法律の定めるところにより、国にその補償を求めることができる。

第4章　国会

〔国会の地位〕

第四十一条　国会は、国権の最高機関であつて、国の唯一の立法機関である。

〔二院制〕
第四十二条　国会は、衆議院及び参議院の両議院でこれを構成する。

〔両議院の組織〕
第四十三条　両議院は、全国民を代表する選挙された議員でこれを組織する。
2　両議院の議員の定数は、法律でこれを定める。

〔議員および選挙人の資格〕
第四十四条　両議院の議員及びその選挙人の資格は、法律でこれを定める。但し、人種、信条、性別、社会的身分、門地、教育、財産又は収入によつて差別してはならない。

〔衆議院議員の任期〕
第四十五条　衆議院議員の任期は、四年とする。但し、衆議院解散の場合には、その期間満了前に終了する。

〔参議院議員の任期〕
第四十六条　参議院議員の任期は、六年とし、三年ごとに議員の半数を改選する。

〔議員の選挙〕
第四十七条　選挙区、投票の方法その他両議院の議員の選挙に関する事項は、法律でこれを定める。

〔両議院議員兼職の禁止〕
第四十八条　何人も、同時に両議院の議員たることはできない。

〔議員の歳費〕
第四十九条　両議院の議員は、法律の定めるところにより、国庫から相当額の歳費を受ける。

〔議員の不逮捕特権〕
第五十条　両議院の議員は、法律の定める場合を除いては、国会の会期中逮捕されず、会期前に逮捕された議員は、その議院の要求があれば、会期中これを釈放しなければならない。

〔議員の発言・表決の無答責〕
第五十一条　両議院の議員は、議院で行つた演説、討論又は表決について、院外で責任を問はれない。

〔常会〕
第五十二条　国会の常会は、毎年一回これを召集する。

〔臨時会〕
第五十三条　内閣は、国会の臨時会の召集を決定することができる。いづれかの議院の総議員の四分の一以上の要求があれば、内閣は、その召集を決定しなければならない。

〔衆議院の解散、特別会、参議院の緊急集会〕
第五十四条　衆議院が解散されたときは、解散の日から四十日以内に、衆議院議員の総選挙を行ひ、その選挙の日から三十日以内に、国会を召集しなければならない。

2　衆議院が解散されたときは、参議院は、同時に閉会となる。但し、内閣は、国に緊急の必要があるときは、参議院の緊急集会を求めることができる。

3　前項但書の緊急集会において採られた措置は、臨時のものであつて、次の国会開会の後十日以内に、衆議院の同意がない場合には、その効力を失ふ。

〔議員の資格争訟〕
第五十五条　両議院は、各々その議員の資格に関する争訟を裁判する。但し、議員の議席を失はせるには、出席議員の三分の二以上の多数による議決を必要とする。

〔定足数と表決〕
第五十六条　両議院は、各々その総議員の三分の一以上の出席がなければ、議事を開き議決することができない。

2　両議院の議事は、この憲法に特別の定のある場合を除いては、出席議員の過半数でこれを決し、可否同数のときは、議長の決するところによる。

〔会議の公開と会議録、秘密会〕
第五十七条　両議院の会議は、公開とする。但し、出席議員の三分の二以上の多数で議決したときは、秘密会を開くことができる。

2　両議院は、各々その会議の記録を保存し、秘密会の記録の中で特に秘密を要すると認められるもの以外は、これを公表し、且つ一般に頒布しなければならない。

3　出席議員の五分の一以上の要求があれば、各議員の表決は、これを会議録に記載しなければならない。

〔役員の選任及び議院の自律権〕
第五十八条　両議院は、各々その議長その他の役員を選任する。

2　両議院は、各々その会議その他の手続及び内部の規律に関する規則を定め、又、院内の秩序をみだした議員を懲罰することができる。但し、議員を除名するには、出席議員の三分の二以上の多数による議決を必要とする。

〔法律の成立、衆議院の優越〕
第五十九条　法律案は、この憲法に特別の定のある場合を除いては、両議院で可決したとき法律となる。

2　衆議院で可決し、参議院でこれと異なつた議決をした法律案は、衆議院で出席議員の三分の二以上の多数で再び可決したときは、法律となる。

3　前項の規定は、法律の定めるところにより、衆議院が、両議院の協議会を開くことを求めることを妨げない。

4　参議院が、衆議院の可決した法律案を受け取つた後、国会休会中の期間を除いて六十日以内に、議決しないときは、衆議院は、参議院がその法律案を否

決したものとみなすことができる。

〔衆議院の予算先議権と予算の議決〕

第六十条　予算は、さきに衆議院に提出しなければならない。

2　予算について、参議院で衆議院と異なつた議決をした場合に、法律の定めるところにより、両議院の協議会を開いても意見が一致しないとき、又は参議院が、衆議院の可決した予算を受け取つた後、国会休会中の期間を除いて三十日以内に、議決しないときは、衆議院の議決を国会の議決とする。

〔条約締結の承認〕

第六十一条　条約の締結に必要な国会の承認については、前条第二項の規定を準用する。

〔議院の国政調査権〕

第六十二条　両議院は、各々国政に関する調査を行ひ、これに関して、証人の出頭及び証言並びに記録の提出を要求することができる。

〔国務大臣の議院出席権〕

第六十三条　内閣総理大臣その他の国務大臣は、両議院の一に議席を有すると有しないとにかかはらず、何時でも議案について発言するため議院に出席することができる。又、答弁又は説明のため出席を求められたときは、出席しなければならない。

〔弾劾裁判所〕

第六十四条　国会は、罷免の訴追を受けた裁判官を裁判するため、両議院の議員で組織する弾劾裁判所を設ける。

2　弾劾に関する事項は、法律でこれを定める。

第5章　内閣

〔行政権の帰属〕

第六十五条　行政権は、内閣に属する。

〔内閣の組織と責任〕

第六十六条　内閣は、法律の定めるところにより、その首長たる内閣総理大臣及びその他の国務大臣でこれを組織する。

2　内閣総理大臣その他の国務大臣は、文民でなければならない。

3　内閣は、行政権の行使について、国会に対し連帯して責任を負ふ。

〔内閣総理大臣の指名〕

第六十七条　内閣総理大臣は、国会議員の中から国会の議決で、これを指名する。この指名は、他のすべての案件に先だつて、これを行ふ。

2　衆議院と参議院とが異なつた指名の議決をした場合に、法律の定めるところにより、両議院の協議会を開いても意見が一致しないとき、又は衆議院が指名の議決をした後、国会休会中の期間を除いて十日以内に、参議院が、指名の議決をしないときは、衆議院の議決を国会の議決とする。

〔国務大臣の任免〕

第六十八条　内閣総理大臣は、国務大臣を任命する。但し、その過半数は、国会議員の中から選ばれなければならない。

2　内閣総理大臣は、任意に国務大臣を罷免することができる。

〔不信任決議と解散・総辞職〕

第六十九条　内閣は、衆議院で不信任の決議案を可決し、又は信任の決議案を否決したときは、十日以内に衆議院が解散されない限り、総辞職をしなければならない。

〔内閣総理大臣の欠缺または総選挙後の総辞職〕

第七十条　内閣総理大臣が欠けたとき、又は衆議院議員総選挙の後に初めて国会の召集があつたときは、内閣は、総辞職をしなければならない。

〔総辞職後の職務続行〕

第七十一条　前二条の場合には、内閣は、あらたに内閣総理大臣が任命されるまで引き続きその職務を行ふ。

〔内閣総理大臣の職務〕

第七十二条　内閣総理大臣は、内閣を代表して議案を国会に提出し、一般国務及び外交関係について国会に報告し、並びに行政各部を指揮監督する。

〔内閣の職務〕

第七十三条　内閣は、他の一般行政事務の外、左の事務を行ふ。

一　法律を誠実に執行し、国務を総理すること。

二　外交関係を処理すること。

三　条約を締結すること。但し、事前に、時宜によつては事後に、国会の承認を経ることを必要とする。

四　法律の定める基準に従ひ、官吏に関する事務を掌理すること。

五　予算を作成して国会に提出すること。

六　この憲法及び法律の規定を実施するために、政令を制定すること。但し、政令には、特にその法律の委任がある場合を除いては、罰則を設けることができない。

七　大赦、特赦、減刑、刑の執行の免除及び復権を決定すること。

〔法律及び政令への署名と連署〕

第七十四条　法律及び政令には、すべて主任の国務大臣が署名し、内閣総理大臣が連署することを必要とする。

〔国務大臣の訴追〕

第七十五条　国務大臣は、その在任中、内閣総理大臣の同意がなければ、訴追されない。但し、これがため、訴追の権利は、害されない。

第6章　司法

〔司法権、裁判所、裁判官の職務上の独立〕

第七十六条　すべて司法権は、最高裁判所及び法律の定めるところにより設置する下級裁判所に属する。

2　特別裁判所は、これを設置することができない。行政機関は、終審として裁判を行ふことができない。

3　すべて裁判官は、その良心に従ひ独立してその職権を行ひ、この憲法及び法律にのみ拘束される。

〔最高裁判所の規則制定権〕

第七十七条　最高裁判所は、訴訟に関する手続、弁護士、裁判所の内部規律及び司法事務処理に関する事項について、規則を定める権限を有する。

2　検察官は、最高裁判所の定める規則に従はなければならない。

3　最高裁判所は、下級裁判所に関する規則を定める権限を、下級裁判所に委任することができる。

〔裁判官の身分保障〕

第七十八条　裁判官は、裁判により、心身の故障のために職務を執ることができないと決定された場合を除いては、公の弾劾によらなければ罷免されない。裁判官の懲戒処分は、行政機関がこれを行ふことはできない。

〔最高裁判所の裁判官、国民審査、定年、報酬〕

第七十九条　最高裁判所は、その長たる裁判官及び法律の定める員数のその他の裁判官でこれを構成し、その長たる裁判官以外の裁判官は、内閣でこれを任命する。

2　最高裁判所の裁判官の任命は、その任命後初めて行はれる衆議院議員総選挙の際国民の審査に付し、その後十年を経過した後初めて行はれる衆議院議員総選挙の際更に審査に付し、その後も同様とする。

3　前項の場合において、投票者の多数が裁判官の罷免を可とするときは、その裁判官は、罷免される。

4　審査に関する事項は、法律でこれを定める。

5　最高裁判所の裁判官は、法律の定める年齢に達した時に退官する。

6　最高裁判所の裁判官は、すべて定期に相当額の報酬を受ける。この報酬は、在任中、これを減額することができない。

〔下級裁判所の裁判官〕

第八十条　下級裁判所の裁判官は、最高裁判所の指名した者の名簿によつて、内閣でこれを任命する。その裁判官は、任期を十年とし、再任されることができる。但し、法律の定める年齢に達した時には退官する。

2　下級裁判所の裁判官は、すべて定期に相当額の報酬を受ける。この報酬は、在任中、これを減額することができない。

〔最高裁判所の法令審査権〕

第八十一条　最高裁判所は、一切の法律、命令、規則又は処分が憲法に適合するかしないかを決定する権限を有する終審裁判所である。

〔裁判の公開〕

第八十二条　裁判の対審及び判決は、公開法廷でこれを行ふ。

2　裁判所が、裁判官の全員一致で、公の秩序又は善良の風俗を害する虞があると決した場合には、対審は、公開しないでこれを行ふことができる。但し、政治犯罪、出版に関する犯罪又はこの憲法第三章で保障する国民の権利が問題となつてゐる事件の対審は、常にこれを公開しなければならない。

第7章　財政

〔財政処理の要件〕

第八十三条　国の財政を処理する権限は、国会の議決に基いて、これを行使しなければならない。

〔課税の要件〕

第八十四条　あらたに租税を課し、又は現行の租税を変更するには、法律又は法律の定める条件によることを必要とする。

〔国費支出、国の債務負担〕

第八十五条　国費を支出し、又は国が債務を負担するには、国会の議決に基くことを必要とする。

〔予算の作成と国会の議決〕

第八十六条　内閣は、毎会計年度の予算を作成し、国会に提出して、その審議を受け議決を経なければならない。

〔予備費〕

第八十七条　予見し難い予算の不足に充てるため、国会の議決に基いて予備費を設け、内閣の責任でこれを支出することができる。

2　すべて予備費の支出については、内閣は、事後に国会の承諾を得なければならない。

〔皇室財産、皇室費用〕

第八十八条　すべて皇室財産は、国に属する。すべて皇室の費用は、予算に計上して国会の議決を経なければならない。

〔公の財産の用途制限〕

第八十九条　公金その他の公の財産は、宗教上の組織

若しくは団体の使用、便益若しくは維持のため、又は公の支配に属しない慈善、教育若しくは博愛の事業に対し、これを支出し、又はその利用に供してはならない。

〔会計検査〕

第九十条　国の収入支出の決算は、すべて毎年会計検査院がこれを検査し、内閣は、次の年度に、その検査報告とともに、これを国会に提出しなければならない。

２　会計検査院の組織及び権限は、法律でこれを定める。

〔財政状況の報告〕

第九十一条　内閣は、国会及び国民に対し、定期に、少くとも毎年一回、国の財政状況について報告しなければならない。

第8章　地方自治

〔地方自治の本旨〕

第九十二条　地方公共団体の組織及び運営に関する事項は、地方自治の本旨に基いて、法律でこれを定める。

〔地方公共団体の機関〕

第九十三条　地方公共団体には、法律の定めるところにより、その議事機関として議会を設置する。

２　地方公共団体の長、その議会の議員及び法律の定めるその他の吏員は、その地方公共団体の住民が、直接これを選挙する。

〔地方公共団体の権能〕

第九十四条　地方公共団体は、その財産を管理し、事務を処理し、及び行政を執行する権能を有し、法律の範囲内で条例を制定することができる。

〔一の地方公共団体のみに適用される特別法〕

第九十五条　一の地方公共団体のみに適用される特別法は、法律の定めるところにより、その地方公共団体の住民の投票においてその過半数の同意を得なければ、国会は、これを制定することができない。

第9章　改正

〔憲法改正の発議、国民投票及び公布〕

第九十六条　この憲法の改正は、各議院の総議員の三分の二以上の賛成で、国会が、これを発議し、国民に提案してその承認を経なければならない。この承認には、特別の国民投票又は国会の定める選挙の際行はれる投票において、その過半数の賛成を必要とする。

２　憲法改正について前項の承認を経たときは、天皇は、国民の名で、この憲法と一体を成すものとして、

直らにこれを公布する。

第10章　最高法規

〔基本的人権の本質〕

第九十七条　この憲法が日本国民に保障する基本的人権は、人類の多年にわたる自由獲得の努力の成果であつて、これらの権利は、過去幾多の試錬に堪へ、現在及び将来の国民に対し、侵すことのできない永久の権利として信託されたものである。

〔憲法の最高法規性と条約・国際法規の遵守〕

第九十八条　この憲法は、国の最高法規であつて、その条規に反する法律、命令、詔勅及び国務に関するその他の行為の全部又は一部は、その効力を有しない。

２　日本国が締結した条約及び確立された国際法規は、これを誠実に遵守することを必要とする。

〔憲法尊重擁護義務〕

第九十九条　天皇又は摂政及び国務大臣、国会議員、裁判官その他の公務員は、この憲法を尊重し擁護する義務を負ふ。

第11章　補則

〔施行期日と施行前の準備行為〕

第百条　この憲法は、公布の日から起算して六箇月を経過した日から、これを施行する。

２　この憲法を施行するために必要な法律の制定、参議院議員の選挙及び国会召集の手続並びにこの憲法を施行するために必要な準備手続は、前項の期日よりも前に、これを行ふことができる。

〔参議院成立前の国会〕

第百一条　この憲法施行の際、参議院がまだ成立してゐないときは、その成立するまでの間、衆議院は、国会としての権限を行ふ。

〔参議院議員の任期の経過的特例〕

第百二条　この憲法による第一期の参議院議員のうち、その半数の者の任期は、これを三年とする。その議員は、法律の定めるところにより、これを定める。

〔公務員の地位に関する経過規定〕

第百三条　この憲法施行の際現に在職する国務大臣、衆議院議員及び裁判官並びにその他の公務員で、その地位に相応する地位がこの憲法で認められてゐる者は、法律で特別の定をした場合を除いては、この憲法施行のため、当然にはその地位を失ふことはない。但し、この憲法によつて、後任者が選挙又は任命されたときは、当然その地位を失ふ。

【著者略歴】

黒沢 賢一（くろさわ けんいち）

最終学歴　早稲田大学大学院政治学研究科修士課程修了
専　　攻　政治学、行政学、地方自治論
　　　　　キャリア教育（公務員受験等）
現　　在　上武大学ビジネス情報学部准教授
主要著書　『Point Master 社会科学の論点』（三恵社）

社会科学の基本理論　大学教養講義ノート

2024年2月22日　初版発行

著　者　黒沢賢一
発行所　学術研究出版
　　　　〒670-0933　兵庫県姫路市平野町62
　　　　［販売］Tel.079（280）2727　Fax.079（244）1482
　　　　［制作］Tel.079（222）5372
　　　　https://arpub.jp
印刷所　小野高速印刷株式会社
©kurosawa kenichi 2024, Printed in Japan
ISBN978-4-911008-39-3